Sleamhnaíonn sé leis ar a bholg go han-mhall.

Is maith leis duilleoga fliucha agus potaí folmha.

Seo é a theach. Iompraíonn sé thart ar a dhroim é.

Meas tú céard tá ann?

Seilide atá ann!

Tugann an sliogán cosaint dó agus coinníonn sé fionnuar é.

Ach itheann na héin a lán seilidí.

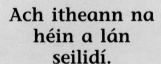

Féach na súile i mbarr an dá adharcán.

Timpeall agus timpeall a théann an sliogán. . .
agus fásann an sliogán de réir mar a fhásann an seilide.

Sleamhnaíonn an seilide ar a bholg ar chosán sleamhain ramallae.

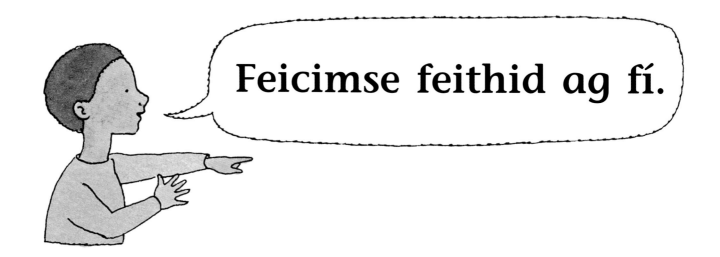

Sa ghairdín nó istigh sa teach a chónaíonn sé.

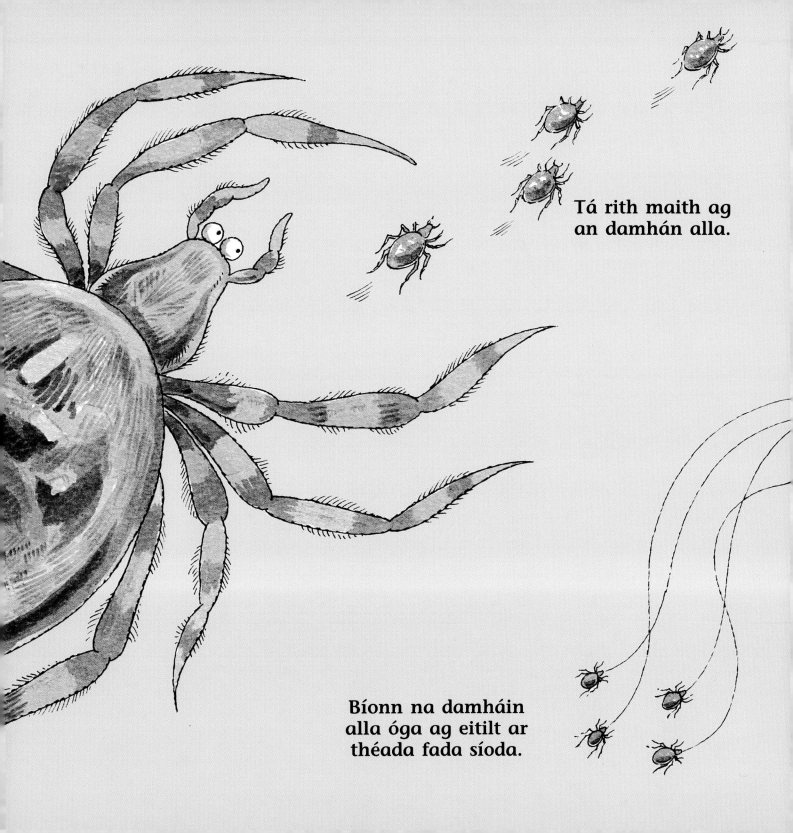

Tá rith maith ag
an damhán alla.

Bíonn na damháin
alla óga ag eitilt ar
théada fada síoda.

Biss!

Biss!

Biss!

Ag crónán a bhíonn an fheithid seo.

Biss!

Féach ar na stríoca.
Tá siad donn agus buí.

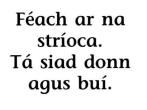

Meas tú céard tá ann?

Beach atá ann!

Sa samhradh bailíonn an bheach neachtar ó na bláthanna. Crochann sí léi go dtí an nead é. Déantar mil de ansin.

Bíonn a chuid sciathán beag láidir.
Na sciatháin a dhéanann an crónán agus iad ag bualadh.

Bóín Dé atá ann!

Dhá phéire sciathán atá uirthi – péire crua dearg in uachtar agus péire bog i bhfolach in íochtar.

Tá gialla láidre ar an mbóín Dé. Cuidíonn siad léi a cuid bia a chogaint.

Is gránna an blas atá uirthi. Ní maith leis na hainmhithe eile í a ithe.

Féileacán atá ann!

Súnn an féileacán an súlach as na bláthanna lena theanga fhada.